劉福春・李怡 主編

民國文學珍稀文獻集成

第三輯

新詩舊集影印叢編　第102冊

【王獨清卷】

獨清自選集(上)

上海：樂華圖書公司 1933 年 9 月初版

王獨清　著

花木蘭文化事業有限公司

國家圖書館出版品預行編目資料

獨清自選集（上）／王獨清　著 — 初版 — 新北市：花木蘭文化事業有限公司，2021〔民 110〕

158 面；19×26 公分

（民國文學珍稀文獻集成・第三輯・新詩舊集影印叢編　第 102 冊）

ISBN 978-986-518-473-5（套書精裝）

831.8　　10010193

ISBN-978-986-518-473-5

民國文學珍稀文獻集成・第三輯・新詩舊集影印叢編（86-120 冊）
第 102 冊

獨清自選集（上）

著　者　王獨清
主　編　劉福春、李怡
企　劃　四川大學中國詩歌研究院
　　　　四川大學大文學學派
總編輯　杜潔祥
副總編輯　楊嘉樂
編　輯　許郁翎、張雅淋、潘玟靜　美術編輯　陳逸婷
出　版　花木蘭文化事業有限公司
社　長　高小娟
聯絡地址　235 新北市中和區中安街七二號十三樓
　　　　電話：02-2923-1455 ／傳眞：02-2923-1452
網　址　http://www.huamulan.tw 信箱 service@huamulans.com
印　刷　普羅文化出版廣告事業
初　版　2021 年 8 月
定　價　第三輯 86-120 冊（精裝）新台幣 88,000 元　

獨清自選集（上）

王獨清 著

樂華圖書公司（上海）一九三三年九月初版。
原書三十二開。

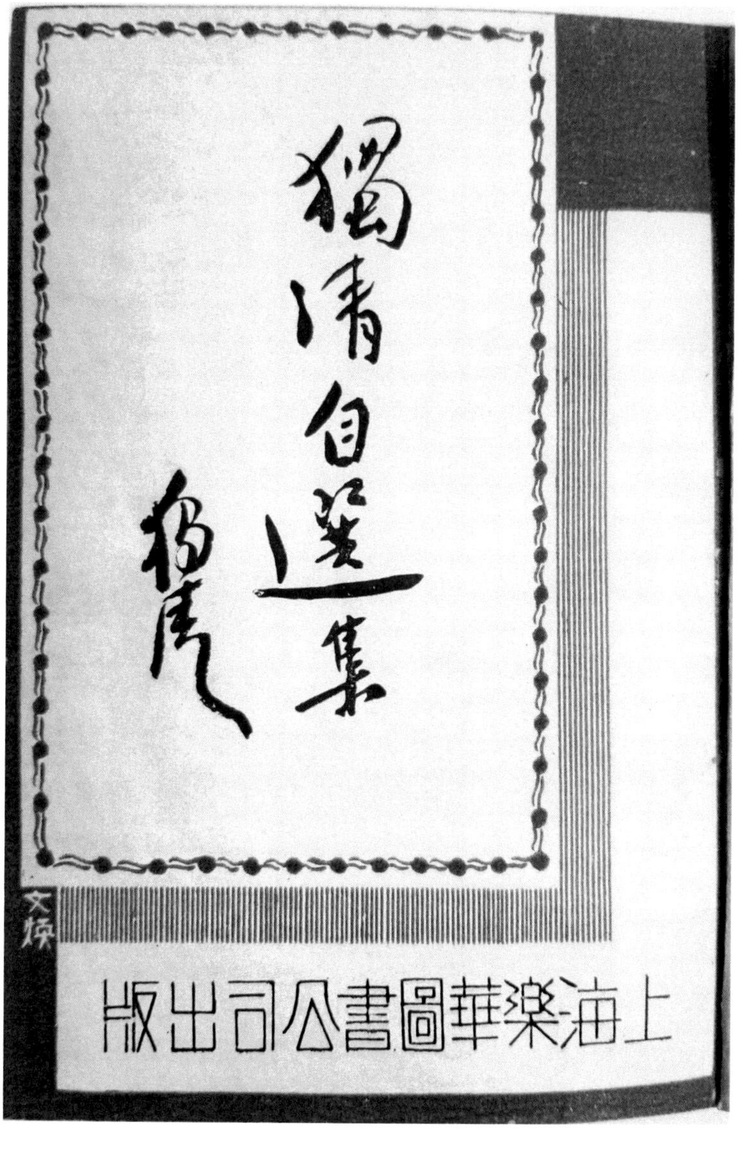
獨清自選集
文煥
上海樂華圖書公司出版

自選集叢書

獨清自選集

王獨清著

上海
樂華圖書公司印
1933

作者肖影

獨清自選集

目次

詩歌

小說

戲劇

散文

我文學生活的回顧

書局方面要出我底『自選集』，並且要我做一篇序文，說明我文學生活的經過。近來常常應別個底要求已經寫了好些千篇一律的敍述自己的文字，現在實在不願意再多寫了。不過，爲了出版處主人底好意，只好又再來一次。現在且簡單地作一個『回顧』罷。

我在很小的時候，便有把自家底幻想塗在紙上的習慣，這原因是由於家庭的環境。我底家庭是破落的官僚家庭，古色古香的文學空氣非常濃厚，這便影響了我。我九歲時便開始做詩，我覺得能夠把單字綴成有韻的句子是一件最快樂的事體。同時，我又做着許多舊體裁的文學作品。不消說那些是談不上甚麼，不過這表明了我是在幼年時代便已經和文學接觸了。

我把自己寫的東西公開到社會上去，這是開始于我在本省報上的投稿。那時我是十六歲。爲了學費的中斷，想由這種方法去找一點學費。初起我在寫着一些筆記式的雜文，以後又做着政治的文章。但是我底目的沒有達到，因爲當時投稿可以得到報酬的事幾乎是連聽也沒有聽見人說過。不但錢的報酬得不到，就連一份登着自己文章的報紙也得不到。不過我不灰心，還是繼續做了下去。結果，一家報紙請我去當了總編輯。

在那不値錢的總編輯的生活中，我把多半的時間都用去做了政治的文章或編了新聞。這生活繼續了不久，報館便被當局封閉，而我也就以亡命者的資格離開了故鄉，接着又離開了故國。

在日本的幾年中，可以說是我和外國文學開始眞正見面的時期。這時我纔知道了外國文學的好處。在這時以前，我固然是讀過一些外國文學作品的譯本，但是那却沒有使我感到一點甚麽。

從日本回到上海，又從事於報館事業，同時又作着工會的活動，所以每天寫的文字都是社會運動的文字。當時中國是「五四運動」的時期，我幾乎把我整個的時間都用去參加實際的運動。不過這時我已經露出想在文學方面發展的企圖了，只是沒有專心從事寫作。算是一直到我又離開了中國，浪遊在歐洲的時候，這才眞把身子浸在了創作裏面。

在歐洲所以能開始了文學生涯，那一面是時代的關係，一面是自家生活的關係，那在中國算是『風飆時代』算是中國資產階級思想革命（『五四運動』）後浪漫運動興起的時期，我文學生涯的開始便使我成爲這一運動中之一員，但是因爲自己又住在歐洲，就是說處在大戰後資本主義破產的現象最顯明的地方，所以便又卽刻染上傷感主義的色彩。——這個便是我前期作品底二重性的原因。

在歐洲，我本是先研究着科學，但是後來却用全力去吸吮文學的空氣和我當時的生活一樣複雜，我盡我能力所及在去認識歐洲的各樣文學。

歸國後時間又被實際的活動佔領了大半，但是我卻是甦醒過來了。這幾年在中國的行逕，大概朋友們都是知道的，也用不着再在這兒多說，不過有一點卻是應該說明：一九二八年創造社的文化運動是中國現代文化史上的一個新的紀元，這運動却只是個序幕，將來的交響曲一定還會來的。我過去是這運動主要參加者之一，將來的志願也還是要這樣去努力（若果在中途不發生意外的話。）自從創造社分化以後，過去共事的

4

朋友和變節的後輩雖然都在聯合着罵我和傾陷我，但是我却還沒有死掉！只要我不死，我一定總還是走在鬥爭的路上。我相信歷史的浪潮會把我面前的壓迫除去，也會把一般『Pseudo 革命者』淘汰淨盡！

以上簡單地『回顧』完了，我但願我以後能有一個更前進的飛躍。

一九三三年六月，中國東北正式歸於日本帝國主義掌握之時。

王獨清

詩歌

哀歌

唉！
我願到野地
去掘一深坑，
預備我休息、
不願再做生！

我設想，若是我短命死後，
那廢路邊定有一座濕墓
在亂草裏孤立地掩着我底瘦骨。

我設想，那時正是悲愁的秋季，
冷風從病林內向外號吹，
可憐的落葉便把我底墓來繞圍。

我設想，晝色是短促地消亡，
月兒已出在很高的天上、
照得我長眠處是一片的荒涼，

2

我設想，那沈靜中忽響着寂寞的步音，
由遠方小徑上來了我底愛人，
她還是舊日的容鬢，還是舊日的衣裙。

我設想，只是她較舊日更是弱怯，
她又急急地前行，不肯少歇，
那不曾勞慣的脚兒像是在一步一跌。

我設想，她纔走到了我底墓前，
便迅速地跪下，全身振顫，

那些積累的落葉就做了她底拜毡。

我設想，她用她蒼白的兩手，
掩住她底臉兒哽咽啼哭，
她底雙肩隨着她委曲的呼吸而起伏。

我設想，她那悽婉的哀聲
被冷風捉着向遍野傳送，
月兒也像驚訝地吐出了更慘澹的光明。

我設想，不久她便因傷感過度而疲憊，

4

呼吸漸漸地閉塞沈低，
最後是倒了下去，唇兒親着我墓下的新泥。

我設想，不久她底口兒遂啞，
只有月兒在吻着她底淚頰，
冷風在解散着她蓬鬆的鬢髮。

我設想，就這樣又到了晝色復囘，
她還睡在我底墓側，爲落葉護蓋：
從此她便伴着那個土堆，再也沒有醒來……

唉！我願到野地
去掘一深坑，
預備我休息，
不願再偷生！

6

玫瑰花

在這水綠色的燈下，我癡看着她，
我癡看着她淡黃的頭髮，
她深藍的眼睛，她蒼白的面頰，
啊，這迷人的水綠色的燈下！

她兩手掬了些謝了的玫瑰花瓣，
俯下頭兒去深深地親了幾遍，
隨後又捧着送到我底面前，
並且教我，也像她一樣的捧着來放在口邊……

啊，玫瑰花！我暗暗地表示謝忱：
你把她底粉澤送近了我底顫唇，
你使我們倆底呼吸合葬在你芳魂之中，
你使我們倆在你底香骸內接吻！
啊，玫瑰花！我願握着你底香骸永遠不放，

8

好使我底呼吸永遠和她的呼吸合葬，
——我願永遠伴着這水綠色的湖燈，
我願永遠這樣坐在她底身旁！

10

UNE JEUNE VAGABONDE PERSANE

她手兒在 mandoline 底絃上輕撥，
她口兒唱着令人癡迷的柔歌。
她在絃上撥，她在絃上撥，
撥出的聲音就像是在哭她底罪惡……
哦，她既然是到處地奔波，

怎能不經些有悲痛的墮落!
我在爲她傷感呀，我也在爲我傷感呀，
——我要叫她來，叫她來把頭兒枕在我底心窩!
她口兒唱着令人癡迷的柔歌，
她手兒在 mandoline 底絃上輕撥，
她唱出的歌，她唱出的歌，
分明是訴說她曾被人百般地折磨……
哦，她底故國已將要毀破，
當然她過的是忍辱的生活!
我在爲她傷感呀，我也在爲我傷感呀，
——我要叫她來，叫她來把頭兒貼住我底心窩!

我從 CAFE 中出來……

我從 Café 中出來，
身上添了
中酒的
疲乏，
我不知道

12

向那一處走去，纔是我底
暫時的住家……
啊，冷靜的街衢，
黃昏，細雨！

我從 café 中出來，
在帶着醉
無言地
獨走，
我底心內
感着一種，要失了故國的

浪人底哀愁……
啊，冷靜的街衢，
黃昏，細雨！

14

最後的禮拜日

唵！我好像看見「死」在緩緩地過去，
我眞好像看見「死」在緩緩地過去……
唉，這個天氣！，唉，這突然的風！，唉，這突然的雨！……
哦，風來在路旁的那些樹上騷擾，放肆，
又不停地向下擲着那些與樹離別的枯枝……

哦，雨，帶着那陰鬱的沉重的惡勢，
來把那些市場上的房屋，工廠內的烟突，公園中的長椅。哦，一切，一切，都淋得很濕，很
濕……
哦，風！哦，雨！

這一年又要完了，一年又要完了，
唵！我底思鄉病！唵！我底傷感！唵！我底煩惱！……
那些 fetes exotiques! Toussaint 呀，Noël 呀，都逃退得那樣的迅速，急躁！
這個最後的禮拜日，却被滿空的黑雲來妨害損耗！
使我喫驚不小，那所有的色都槁了，所有的香都消了，所有的調子都潰散了：
可憐的河邊林！可憐的畦中花！可憐的那些能唱的小鳥！

16

啊啊，可憐的我，——我已被失望逼得負了一身不能治的疲勞，
我怕這個一年最後的禮拜日也就是我底最後一朝！
我願，我願這個最後的禮拜日成我底最後一朝！
好使我這無用的身子像那些調子一樣去潰散，像那些香一樣去消，像那些色一樣去槁……
啊啊，這個最後的禮拜日，這個最後的禮拜日，——這一年又要完了，完了，完了！……

滿空的黑雲，就把這個最後的禮拜日這樣妨害，損耗！就把晝光掩得這樣的晦窒！
哦，雨，雨又來把一切，一切，都淋得很濕，很濕……
哦，雨！哦，風！哦，風！哦，雨！
在這黑雲忽來忽去的晝光之下，我好像看見「死，」看見「死」在緩緩地過去……

禮拜堂底鐘響得是粗暴而悲苦，
唉，athee 的我也在這被鐘聲激蕩的石砦之外無言地逗遛！

那條很長的大路，

已經是少有人行走，
只有些枯黃的落葉被雨打得不能揚起的落葉，還隨着風勉強在地上亂撲……
那一帶不知是誰家場圃底牆頭，
不是曾掛滿過葡萄底可愛深綠？
但是現在呀，却連一根老蔓也沒有？
——再見罷，葡萄的收獲！再見罷，那些大筐小簍！
哦，那些放在 marronniers 下的大筐，小簍！

18

哦，再見罷，marronniers 底衰瘦的症候！
哦哦，marronniers 底衰瘦的症候，衰瘦的症候！
再見罷，再見罷那些廣蔭底褪減，那些乾殼底剝落，還有那些褪減與剝落中的顫抖！
……
使我底心在跳悸的是這些地上的落葉，——哦，落葉！落葉！落葉！
你們有很多是曾淪列在寂寞的牧場之上，任那些牛和羊往返地踏折；
你們有很多是集積在廣闊的 boulev rd 之間，任清道夫們底掃帚掠刦；
你們有很多是去到了遠處的山野，
聚成高丘之後，便化作烈火使居在荒地的 nomades 或 bohemiens 圍着過寒冷的時節；

你們又有很多是去靠近那些傾陷了的墓堆，石碣，
爲那些無名的死人，（怕總有在客中休息了的苦兵憔悴過度而殞的勞工，絕念而
自殺的幻想者，）
把沒有家族過問也沒有朋友薜弔的壙門給裝點陳設……

這又是遠處的 cors ——聽聽！
遠處的cors在用牠們野愁的音調來振動我底神經……
牠們也不管人家心中是怎樣的酸痛！
只是奏着 ton ton, ton taine, ton ton!……
啊啊，ton.ton, ton taine, ton ton!
——停止罷，你們這些難聽的聲！

20

你們就任風把你們送，送送，
　把你們送到北送到南，送到西，又送到東……
但是我底神經已受不住這樣的振動，
唵！停止罷你們這些難聽的聲！
唵！'Taiaut Taiaut! hallali!
這個天氣像是更加昏黯，淒迷……
唉，這個天氣！唉，這個天氣！唉，這個天氣！
那些市場上的房屋，工廠內的煙突，公園中的長椅，
可不是都埋在了腐敗的礦銹裏？……
唉，令人得肺病的這個天氣！唉，令人得肺病的這個天氣！……

啊啊，滿天的黑雲就把這個一年最後的禮拜日這樣妨害，損耗！
被黑雲妨害，損耗的這個禮拜日給我的是思鄉病，給我的是傷感煩惱……
那所有的色都槁了，所有的香都消了，所有的調子都潰散了；
這個天氣，這個天氣使我負着疲勞的身上更添了疲勞！
我願，我底身子也像那些調子一樣去潰散，像那些香一樣去消，像那些色一樣去槁；
我願這個最後的禮拜日，成我底最後一朝……
啊啊，這個最後的禮拜日，就被黑雲這樣妨害，損耗！

但是，最令人難受的還是這突然的風，這突然的雨，
哦，雨！哦，風！哦，風！哦，雨！
——我真好像看見了「死，」「死」在緩緩地過去……

弔羅馬

登大墳以遠望兮，
聊以舒吾憂心。
——（屈原）

Fine welt zwar bist du, O Rom: doch ohne die Liebe,
Ware die Welt, nicht die Welt, ware denn

Rom auch nicht Rom.

(Goethe)

I

我趁着滿空濕雨的春天，
來訪這地中海上的第二長安！
聽說這兒是往日許多天才底故家，
聽說這兒養育過發揚人類的文化；
聽說這兒是英雄建偉業的名都，
聽說這兒光榮的歷史永遠不朽……

24

哦，雨只是這樣迷濛的不停，
我底胸中也像是被纔潮的淚在浸潤！
——惱人的雨喲，愁人的雨喲，
你是給我洗塵還是助我弔這荒涼的古城？

我要痛哭，我要力竭聲嘶地痛哭，
我要把我底心臟一齊向外嘔吐！
既然這兒像長安一樣陷入了衰頹敗傾，
既然這兒像長安一樣埋着舊時的文明，
我，我怎能不把我底熱淚我 nostalgia 底熱淚，
借用來，借用來盡心地灑，盡心地揮？

雨只是這樣迷濛的不停，
我已與伏在雨中的羅馬接近：
啊啊，偉大的羅馬，威嚴的羅馬，雄渾的羅馬！
我眞想把我哭昏，拚我這一生來給你招魂……

II

我看見羅馬城邊的 Tiberis 河，
忽想起古代的傳說：
那 Rhea Silvia底 雙生兒
不是曾在這河上漂過？

26

那個名叫Romulus的，
正是我懷想的人物。
他不顧同他底兄弟調和，
只獨自把他理想中的都城建作。
他日夜不息，
他風雨不驗；
他築起最高的圍牆，
他開了最長的溝壑……
哦，像那樣原人時代創造的英雄喲，
在今日繁殖的人類中能不能尋出一個！

我看見羅馬城邊的山坪，
忽想起古代那些詩人
他們赤着雙脚，
他們袒着半胸，
他們手持着軟竿
趨着一羣白羊前進。
他們一面在那坪上牧羊，
一面在那坪上獨吟……
他們是眞正的創作者，
也是眞正的平民。
哦，可敬的人們，

28

怎麽今日全無蹤影?
——坪上的草喲,
你們還在爲誰長青?

III

啊,
現在我進了羅馬了,
我底全神經好像在爆!
啊,這就是我要徘徊的羅馬了!
…………………………
羅馬城,羅馬城,使人感慨無窮的羅馬城,
你底遺跡還是這樣的宏壯而可驚!

我踏着產生文物典章的拉丁舊土，
徘徊於建設光榮偉業的七丘之中：
啊啊，我久懷慕的「七丘之都」喲，
往日是怎樣的繁華，怎樣的名勝，
今日，今日呀，却變成這般的凋零！
就這樣地任牠亂石成堆！
就這樣地任牠野草叢生！
那富麗的宮殿，可不就是這些石旁的餘燼？
那歌舞的美人，可不就是這些草下的腐塵？
不管牠駐過許多說客底激昂辯論，
不管牠留過千萬人衆底合歡掌聲，

現在都只存了些銷散的寂寞，
現在都只剩了些死亡的沉靜………
除了路邊行人不斷的馬蹄車輪，
再也聽不見一點兒城中的喧音！
愛國的豪傑，行暗殺的志士，光大民族的著作者，
都隨着那已去的榮華，隨着已去的榮華而退隱；
榮華呀，榮華是再不能歸來，
他們，也是永遠地無處可尋！
看罷！表彰帝王威嚴的市政之堂
只有些斷柱高聳，殘堦平横；
看罷！獎勵英雄功績的飲宴之庭

只有些黃土滿擁，荒藤緊封；
看罷！看罷！一切代表盛代的，代表盛代的建築物，
都只留得些敗垣廢墟擺立在野地裏受雨淋風攻………
哦，雨，洗這「七丘之都」的雨！
哦，風，掃這拉丁舊土的風！
古代的文明就被風雨這樣一年一年地洗完，掃淨！
哦哦，古代的文明！古代文明是由誠實，勇力造成！
但是那可敬愛的誠實的人們，勇力的人們，
現代的世界，他們為甚麼便不能生存？
哦哦，現代世界的人類是怎樣墮落不振！
現代的羅馬人呀，那里配作他們底子孫！

32

Cato喲，Cicero喲，Caesar喲，Augustus喲，……！
唉代表盛代人物底眞正苗裔怎麼便一概絕盡！
…………………………

IV

徘徊呀徘徊！
我底心中鬱着難吐的悲哀！
看這不平的山岡，
這淸碧的河水，
都還依然存在！
爲甚開這山河的人呀，

却是一去不回

這一處是往日出名的大競技場，
我記起了建設這工程的帝王：
Vespasianus 是眞可令人追想，
他那創造時代的偉績，
永遠把誇耀留給這殘土的古邦！
這一處是靠近舊 Forum 的凱旋門
在這一望無涯的斷石壘壘中
我好像看見了 Titus 底英魂：
當他出征遠方的工業告定，

34

囘國時，他囘國時，
這直達 Viasacra 的大道之上，
是怎樣的擁滿了羣衆在狂呼，歡迎！
這一處是矗立雲表的圓碑，
Trajanus底肖像在頂上端立：
我看了這碑間雕刻的軍馬形迹，
我全身是禁不住的震慴，
震慴於他往日的蓋世雄威！
…………………………
徘徊呀徘徊！

過去那黃金般的興隆難再！
但這不平的山岡，
這清碧的河水，
都還未曾崩壞！
我只望這山河底魂呀，
哦，速快地歸來！

V

歸來喲、羅馬魂！
歸來喲，羅馬魂！
我是到那兒去遊行？

東方的 E phrates 河?
西方大西洋底宏波?
南方 Sahara 底沙漠?
北方巴爾幹山脈底叢雜之窩?
哦，那一處不留着往日被你征服的血痕?
難道今日你為飢餓所迫，竟去尋那些血痕而吞飲?
你可聽見尼羅河中做出了快意的吼聲?
你可聽見 Carthago 底焦土上吹過了嘲笑的腥風?
哦，歸來喲!歸來喲!
你若不早歸來，你底子孫將要長死在這昏沈的夢中!
——唉唉，Virgilius 與 Horatius 底天才不存!

弔羅馬

Livius底偉大名作也佚散殆盡！
逭長安一樣的舊都呀，
這長安一樣的舊都呀，
我望你再興，啊，再興！再興再興！……

四月，一九二三。

38

別羅馬女郎

我可敬愛的羅馬女郎，
你，我將永遠不忘！
今晚的我呀，
就要別你這個光榮的故鄉！
你底故鄉，雖是惹人戀想，

但爲了和你相別呀，
你纔能這般惆悵，這般惆悵！

我最敬愛的羅馬女郎，
我一定是永遠不忘
今夜的景色呀，
却怎麼是異常的淒涼！
淒涼，淒涼，我獨行在街上，
我想這兒若沒有你呀，
這羅馬城，怕只是個沙漠的窮荒！

40

動身歸國的時候

昨夜我作了一個奇怪的夢。

我回到了已死的世紀，我故國底已死的世紀——我看見了治水的大禹，我看見了三千門徒圍着的孔子，我看見了在江邊行吟的屈原，並且我看見了建造萬里長城的那些不留姓名的大匠………

哦！天是那樣的清！風是這樣的溫！……

哦！好偉大的山！好壯麗的河！……

我底靈魂充滿了榮耀的陶醉，我底肺部漲滿了自傲的呼吸，我把身子浸在那潔淨的陽光中，受着健全的空氣底愛撫。

…………

但是，甚麼！甚麼！怎麼突然是一片荒墳？怎麼突然是望不盡的焦土？怎麼我底耳旁忽變成了可怕的寂靜？怎麼我底腳下全是些枯骨死屍？！！甚麼甚麼甚麼！……

昨夜我作了這樣一個奇怪的夢。

啊啊，今早我由夢中醒了轉來，我身上的神經纖維全像是在被烈火焚燒，我底兩眼像是得了 épiphora，並且像一個狂人似的，我用我握得很緊的拳頭猛搥着我自己底胸膛，我喊叫，喊叫，啊啊！我底心都幾幾乎跳到了我底口裏……

我纔發見了我底罪惡，纔發見了我懶惰的罪惡，自私的罪惡——這兒不是我應該
久留的地方，唉，去罷！去罷！……

去罷！還在這兒迷戀甚麼熱愛的情婦！
去罷！還在這兒沉湎甚麼芳烈的醇酒！
去罷！還在這兒居住甚麼華美的房屋！
去罷！還在這兒信託甚麼誠意的朋友！

怪可憐的，怪可憐的是我在這兒濫用了的感情！
怪可憐的，怪可憐的是我在這兒浪費了的聰明！
怪可憐的，怪可憐的是我在這兒丟棄了的青春！

怪可憐的，怪可憐的是我在這兒失掉了的眞心！
唵！我在這兒在這兒儘管把我自己斷送着！……
我就忘記了我底來歷，我就忘記了我底出生地，我就忘記了我是一個有故國的人。
——哦，我，我是一個中國人呀！

我是中國人！
那兒，是往日產文明的舊土，
有過英雄豪傑，捨身流血，
有過詩人，志士高歌，痛哭……

44

動身歸國的時候

我是中國人!
那兒有歷史要和地球同滅:
出過能創造時代的天才,
出過苦心救人類的聖者……

啊,我是中國人,光榮總在我靈魂中存在,
我應該紀念過去,
還應該悼傷現在,並且更應該希望未來!

啊,我是中國人,不應該求甚麼幸福,安甯:
還是迅速地歸去,

去揮我能流的眼淚，作我能知道的犧牲！

是的，現在我底故國却是快要變成火後的廢墟了。那兒已經失了溫暖的白晝，那兒已經失了柔和的黑夜，那兒已經失了潔淨的晴天底藍色……——是的現在我底故國却是快要變成火後的廢墟了。

唉，還是歸去，歸去！我歸去，那怕僅僅是爲去到那兒人們中間作一種無意識的哭喊，那怕僅僅是爲去到那兒看護一個最不重要的受傷的人，那怕僅僅是爲去到那兒抱一抱從前認識或不認識的一架已朽的骨骸……

我，沒有能力的我，只會和故國底人們一同受苦，——只會和故國底人們一同受苦也好，總之，還是歸去，歸去！

46

唵！我在這兒，在這兒儘管把我自己斷送着！
今日我纔要走了，決心地走了。——我何嘗不知道可以在這兒追求快樂？我何嘗不
知道我已對這兒生了難捨的情意？，不過我既然得了nostalgia，就須當服從 nostalgia：
這兒底一切雖然都好，但終竟不是我的！
那些bals內徹夜的音樂，
能使人在亂噪中感出調和，
我每當心中生了寂寞，
便去步踏那音樂………
哦，那確是能慰遣寂寞：
那時候，我就好像是另換了一種生活！

——但是，謝謝你們，謝謝你們，
你們這些bals，從此我便再不進，不進你們底門！
因爲你們就再怎樣能使我靈魂興奮，
我在這兒却終是一個呀一個流落的人！

那些bars 內酒精底烈香，
能使人把所有的憂患遺忘。
我每當心上有了痛瘡，
便去親近那烈香……
哦，那確是能平服痛瘡：
那時候，一切苦惱都離去了我底身旁！

48

——但是，謝謝你們，謝謝你們，
你們這些bars，從此我便再不進，不進你們底門！
因爲你們就再怎樣能使我靈魂安穩，
我在這兒却終是一個呀，一個流落的人！

…………………………

別了，別了，使我留戀的這兒底一切，使我徘徊不忍去的這兒底一切，使我在這臨去時動了傷感的這兒底一切！

——Adieu Quartier latin, adieu bouquineries riveraines, adieu marronniers………

哦，marronniers，
每當暖春的時候，
我常在你們廣大的葉蔭下停留，
我最愛你們廣大的葉蔭
在溫柔的天空下開展着深綠！

哦，marronniers，
每當涼秋的節季，
我常在你們剝落的聲音中獨立，
我最愛你們剝落的聲音

好像是很憂愁而疲倦的歎息，

……　……………

——夠了，夠了，這兒底一切都不是我的，我就再怎樣惆悵，留連也不能發見甚麼重要的意義，我還是堅忍地離開的好！我還是一點也不顧惜地離開的好！

唉，那麼，這兒底一切，我都看厭了，看厭了………

Assez vu! sur les boulevards, les gens lents ou gais,
Assez vu! toutes les longueurs des ponts et des quais,
Assez vu! devant Notre-dame, les yeux des filles éclatants

de flammes,

Assez vu! sur les Champs-Elysées la vive volupté du pas des femmes.

....

唵!讓我慚愧罷,慚愧我過去對於有用時間的荒廢!

唵讓我悔恨罷,悔恨我過去對於自己生命的失遺!

我最後再向這兒丟着表示終不能抑制悲慨的淚眼:

但這不是惜別,是哭我棄在這兒的那些少年的狂歡!

動身歸國的時候

我那些少年的狂歡，是早已沒有了蹤影，
我要是再想收回，哦，不能，不能，不能，不能！
我知道只有孤苦，憂愁，痛瘡，絕望，陪伴我底前途：
我知道沒有甚麽安慰可使我心上的病傷平復；
我知道現在是時候，已到須當收束我放蕩的生活，
我知道我除了去愛故國，再沒有方法贖我底罪惡！
是的，我底故國，那兒，偉大的民族，眼看就要破裂，滅亡！
我，還是歸去，迅速地歸去，這兒不是應該久留的地方！
這兒確能使人追求快樂，但可惜我已沒有追求快樂的心情！
這兒是近代文明底中心，但可惜我已厭惡這種近代的文明！

我給我底罪惡作別，給我收不囘的那些少年的狂歡作別：
從此我身上的靜脈，要專為故國去澎漲，專為故國去發熱！
哦，所有我底墮落，所有我底頹廢，所有我底倦怠，
你們，你們就好好地住在這兒，切不要跟着我來

唉，還是歸去，歸去，迅速而不遲疑地歸去！
難道我對於放蕩生活的享受還不滿足？
雖然我不知道我底故國能不能把我這個罪 接收，
但我覺得就在那兒尋辱也較勝於在這兒儘管勾留！
總之那兒雖然快要成了火後的廢墟，但究竟是我底故國；
我終願在那兒埋我底屍身，不怕那土地就變得怎樣焦黑！

哦，這兒，哦，這兒，哦，這兒我底那些很久的或不久的相識，
他們，從此總可以省去些無聊的禮貌和不重要的言辭！
哦，這兒，哦，這兒，哦，這兒那些常常用愛嬌迷我的女人，
她們，從此總可以少做幾次虛偽的交好，假意的殷勤！

我一面陸續接吻在我底手上，用來向這兒深深地送役，
一面振我底雙脚在褪除着我不願帶走的這兒底塵土……

Seine，Seine！就是你有深綠而平靜的顏色，我也不管了！就是你有柔和或奔放的聲音，我也不管了！就是你有在夕陽中誘人傷感的情調，我也不管了！——并且我一樣的不管你近旁的甚麼老倦的 Tevere，甚麼帶醉的 Guadalquivir，甚麼驕傲而貴族的 Rhein………

我，我，我現在急欲想要管的只是黃河，揚子江，只是黃河，揚子江，只是黃河，揚子江！

十二月，一九二五。

56

死前的希望

我是這樣的荒唐，你不要惱怒氣憤，
我愛了你已經很久，哦，年青的夫人！
一年的光陰已經是很快地過去，
你更見年青，我卻是更顯得清癯，
我更顯得蒼白，你更顯得新鮮，

哦，我，我是殘冬，哦，你，你是春天！

我因爲遭過許多，許多的絕望，失敗，
青春的快樂好像是已經和我離開，
我已經得了不能醫治的心臟的重病，
我是被流浪，憂愁送了我過去的半生；
我一看見了那寂寞的荒涼的墳場，
我便想到了，我最後要休息的臥房……

但是你，你正在追求着青春的快樂，
你底生活是青春時代底快樂生活。

你是只見在整理着你底修飾，
你底臉上常敷着淡紅的胭脂，
你有一頭濃黑的頭髮在誇耀着你底年青，
你有一對表示着你沒有憂愁的明媚眼睛。

哦，我只願你底唇兒落在我底唇上，
年青的夫人，請你恕我這樣的荒唐！
我不知道是今晚或明天就要死去，
因爲我是這樣的蒼白，這樣的清癯。……
我只求你底唇兒在我底唇邊來一沾，
哦，好使我到我底墓中去，安靜地長眠！

別了……

別了，你這蓬鬆的髮鬌！
別了，你這蒼白的唇嘴！
別了，你這肺病的臉龐！
別了，你這凝滑的頸項！

60

別了

你把花雕酒斟滿了一杯，
送到我底面前含着眼淚，
你說這是你給我最後的斟酒，
因爲我們一別沒有再見時候。

我把口偎近在你手中的杯邊，
卻只去把杯中的酒飲了一半，
剩下的一半，我便請求你代我飲空，
使我再看一次你醉後頰上的淺紅。

我分明看見你流下了兩條眼淚，

由你底頰上一直地流到了杯內，
但是你對我卻沒有一點言語，
只舉起杯來把殘酒吞了下去。

風不停地在客廳底窗外呼號，
雨也斷續地打着院中的芭蕉：
這雖然是這兒常有的天氣，
可是現在卻都充滿了別意：

我就這樣對着你默默地站起，
默默地把我底手伸出來給你，

62

你也伸出你底手來把我底手緊握、
啊，這一握，你從此寂寞，我從此飄泊！

別了

別了，你這多情的眼睛！
別了，你這無力的柔聲！
別了，你這迷人的呼吸！
別了，你這帶愁的彎眉！

短歌

我們在乘着一隻小舟，
却都默默地相對低頭，
這小舟是搖得這般的緊急，
使我心中起了傷別的憂愁，
憂愁，憂愁，憂愁，

64

我知道你呀，你是不能挽留！
　這河水是泛瀾着深綠，
　幾片落花在水面輕浮：
我們都正和這些落花一樣，
或東或西或南或北地飄流。
　飄流，飄流，飄流，
我知道你呀，你是不能挽留！

唵，你底聲音！唵，你底聲音！
正像是 San marco 教堂底晚鐘，

儘管在把我底心來打動：
我不知道是快樂還是驚訝，
我不知道是虔敬還是痺痲⋯
我只知道聽到牠的時候，
便恨不得全靈魂和牠溶化！
唵，你底眼睛！，唵你底眼睛！
正像是這 Rialto 橋下的碧水，
儘管在使我底心頭沉醉．
這水好像在流動又像停滯，
這水好像在憂鬱又像嬌癡⋯
我，我一到看見牠的時候，

66

便恨不得教牠來把我淹死!

你說你這次走後是再不回轉,
你說你起身的時期就是明天。
怪不得你底臉色是這樣的難看,
你底手放在了琴瓣上邊,
卻總是想彈又不想彈:
那麼你快來把你底頭兒緊靠在我底胸前,不要動轉,
那麼你快來先靠着我坐個半天!
你說你這次走後是再不回轉;
你說你起身的時期就是明天。

怪不得你儘管在這樣向我癡看，
你底話像是已到了口邊，
卻總是想談又不想談⋯⋯
那麼你快來把你底頰兒偎在我底胸前，不要動轉，
那麼你快來先偎着我坐個半天！

68

埃及人

I

埃及人！
哦，你們，
都是穿着寬大的衣服，

頭上裹着各色的包頭，
都赤着脚站在個帆船上，
舉起手爭着向來客亂嚷。
哦，你們，你們，你們，
你們這些埃及人！

埃及人！
哦，你們，
都是臉上在積着污泥，
無秩序地在岸上聚立：
強把來客圍着不肯走開，

70

拿出各種的商品來叫賣。
哦，你們，你們，你們，
你們這些埃及人！

II

唉！埃及人，埃及人，埃及人，埃及人！
我對你們是有無限尊敬的熱忱，
難道你們卻只做這樣接客的人？
唉！埃及人，埃及人，埃及人，埃及人！
我對你們是抱着個愛慕的眞心，

難道你們卻只能做這樣的商人？
這樣接客的人！這樣的商人！
你們使我兩頰漲滿了淚痕：
你們底國土，可不是最古最有名的國土？
你們不是要算地球上最有歷史的民族？
但是，爲甚現在卻過的是這奴隸的生活？
爲甚現在就甘心去忍辱就甘心去墮落？
你們就完全不想紀念你們過去的榮華？
你們就眞完全忘記了你們往日的偉大？
知不知道你們應該負創造文明的光榮？

72

人及埃

知不知道你們祖先是最初的天才英雄？
知不知道你們立過人類第一次的信仰？
知不知道你們建過那誇耀盛世的廟堂？
知不知道你們有過最可驚的黃金時代？
知不知道你們底土地有最神聖的餘灰？
哦，爲甚四方底人們都能到你們底土地來弔問，
你們自己卻只在做這樣接客的人，這樣的商人？

答我罷，埃及人！答我罷，埃及人！
因爲，我尊敬你們，我愛慕你們！

III

唉！埃及人！
我好像聽得尼羅河中發出了一片動人的嗚咽，
又好像看見那最大的斯芬克士在無言地泣血……
唉！埃及人……

唉！埃及人，
我眞想掘開所有一切的金字塔中存留的墳墓，
好抱着那些裹着黃袍的永不朽的屍首去痛哭……
唉！埃及人！……

IV

去罷，去罷，埃及人！快去罷，埃及人！
或是去死，或是去喚醒你們底靈魂！

三月，一九二四。

Seine 河邊之冬夜

冷酷的冬夜籠罩了巴黎全城，繁華的都市漸漸地入了寂靜；隱在灰色下的這個近代文明之區，風在繞着嚎啕他悲鳴悲鳴。這時，行人稀少的 Seine 河邊，有幾個貧民酣眠在敗葉之中。

天上的月色有點朦朧，隱約地可看見這幾個人影：都是容顏瘠瘦，都是亂髮蓬蓬，都是裹着件襤褸的短衣，像死了一樣的臥着不動。

76

——啊，兄弟們，你們不冷麼？你們，可是今天給人家作了一天的苦工，纔買了一瓶紅酒，就坐在這地上痛飲不停，發狂一般的亂叫雜唱以後，倒下去便爛醉不醒？啊，可憐的兄弟們，a· sinthe是被他們禁了！再沒有那樣強烈的好酒，使你們得安然作長時間的甜夢！

你們可曾記得那過去的戰爭？你們是怎樣爲了故國去犧牲！血泊塗汚了你們底兩手，炮烟熏黑了你們底雙鬢……到現在，他們都吼起了「馬賽歌」歡祝得勝，又有誰來管你們這些退了伍的苦兵！

啊，兄弟們，醒些兒罷！你們且傾耳細聽，是那裏淫蕩的笑聲？夜咖啡店內的電火正明，他們正在那兒逞性亂行：短髮的妖女在唱着猥褻的媚歌，黑奴奏着幫助引起肉感的Chica 的樂器助興……啊，可憐的兄弟們，你們聽！你們聽！

…………………………………

風儘管是悲鳴，悲鳴，就好像在向人昭示，昭示這近代文明之巔是一個罪惡的深坑。

但是這幾個兄弟就儘管這樣睡在這兒睡在這兒不醒，不醒，不醒，——唉，我，恨不得，恨不得放起火來，把這繁華的巴黎城，燒一個乾淨！

78

十二月，一九二四。

我歸來了，我底故國！

我歸來了，我底故國我歸來了，我底故國！
我帶着了一種哀愁與歡樂交迸的沉默！
這久別重逢的感情來把我底心胸壓迫，
我，我畢竟是歸來了，哦，十年不見的故國！

唵！一切都是依舊，一切都是依舊，一切都是依舊，
我想尋出這十年來的改變，但是沒有，沒有，沒有！
到處還是這樣被陳廢頹敗占據，
還是這泥濘的道路，污穢的街衢，
還是這些低矮的房屋，蒸濕的陋巷，
還是無數的貧民這樣橫臥在路旁。
還是這些沿街的乞丐在曳着帶哭的聲音，
還是這許多來往的苦力，身上撲滿着灰塵……

唵！我夢一般的在這上海市頭信步前行，

80

不自禁地只是怔忡，只是不當，只是吃驚：
像這樣的光景，像這樣的光景，像這樣的光景，
教我怎能，不把重逢的快感變成失望的心情！

唵，雖然這兒故國底一切都是依舊，依舊，
可是租界上卻添了不少的高大洋樓：
租界上的街路是異樣的清潔，白皙，
租界上的街樹都栽列得特別整齊，
租界上的娛樂場中，音樂是悠揚，悠揚，悠揚，
租界上的咖啡館中，酒香，煙香，婦女底粉香，
租界上到處都是，到處都是，是富人們出入的酒店，旅館，

租界上富人們底汽車，成隊地停在酒店和旅館底門前，
租界上，租界上的公園緊靠着這租界上的馬路，
租界上的公園，租界上的公園是不准華人涉足……

哦哦，租界上的公園，哦哦，租界上的公園，
這樣堅固的鐵門！這樣高大的石灰牆欄！
我知道，我知道當這酷熱的暑天，
公園中一定被濃厚的樹蔭塡滿，
涼風由樹蔭中落下，在緩緩緩緩，
去把遊客們閑坐着的長椅拂遍，

82

一定有許多的男女在穿着輕薄的衣衫，
都坐在那些長椅上安然地出神休憩。
但是，但是公園外的太陽像是要晒焦了馬路上的地面，
卻有許多苦力推着裝士的重車在馬路上掙扎着向前；
他們，他們底臉上，胸上，都滿流着熱汗，
他們底步履都艱難得像要跌倒一般……
哦哦，公園底石灰牆欄就把內外這樣隔斷，
公園中的涼風呀，總是吹不到這馬路旁邊！
但是馬路上卻也有熱風在不時地來吹，
這熱風只把這馬路上的灰塵陸續吹起。

唵！灰塵，灰塵，灰塵就好像是在故意，故意，
只去撲着那些掙扎着向前的苦力，苦力！
唵！馬路旁的洋樓總是那樣的巍然高立，
那一層一層一列一列的樓窗都在緊閉，
有時蕩出了些鋼琴底聲音，放逸，柔媚，
像是在開跳舞的宴會和歡會的筵席。
苦力們卻推着他們底土車經過這些窗底，
他們，他們，他們哦，汗水哦，灰塵哦，汚泥，汚泥……
——唵！為甚？為甚熱風能吹起灰塵，
熱風就吹不動那洋樓底屋頂！

84

唉，我好像一個，一個神經變了質的癡人，
只在這樣，這樣發着些無謂的癡想；
我底心像是被火燒着一樣的難忍，難忍，
我只是在這上海市頭往來地彷徨……

在這上海市頭，在這上海市頭，在這上海市頭，
我無言無言地只是彷徨，只是彷徨，只是彷徨，
我彷徨地看着這些公園，這些洋樓，這些馬路，
這些往來的外國步兵，這些步兵肩上的長鎗……

我，
我，我看見了這些一隊一隊的外國步兵，

唱着他們底軍歌，在馬路中央開步立正。
所有這馬路上的行人，行人，行人，
都被禁止着站在兩旁，不能通行。
所有的行人都帶着恐怖提慄，
都只在默默地站立不敢出聲。
外國步兵，好像在無人的境地一樣，邁步前進，
一排一排的鎗頭上的刺刀，刺刀，哦，那樣鮮明！……

唵！
黃浦灘，黃浦灘，黃浦灘，
水就是這樣的污濁，可憐！
我伏着這岸上的白漆鐵欄，

86

想聽一聽這兒江濤底狂翻。
可是這汚濁可憐的江面，
不見一點漣漪，一點波瀾！
唵！熱淚是已經把我底兩眼漲滿，漲滿。
——壓着江濤的呀，這些外來的巨砲，兵船！

哦哦，這些外來的巨砲，這些外來的兵船，
壓住了這，這可憐的黃浦江濤，不得流轉……
我覺得，雖然太陽還晒在這黃浦灘前，
可是，這上海已完全變作了慘白一片……

唵！
慘白！慘白！上海底一切！上海底所有！
——只除了那馬路上的巡捕底紅色包頭！

唉，紅頭的巡捕，巡捕，你們，你們，
你們完全忘記了你們底本身！
你們在馬路上立得這樣的安穩，
不停地用手棍打着運貨的工人……

唵！
慘白就蓋住了上海底一切，上海底所有，
——只除了這些打着工人的巡捕底紅色包頭！

88

……………………

唉唉，這算是我十年不見的愛慕的故國！
這算是我久想踐踏的繁華的上海！
我現在是只有苦痛的沉默，苦痛的沉默，
我，我恨不曾死在那流浪的海外！
我親着這兒慘白的地土，
我底心卻像是在被烈火掩埋！
像這樣的故國於我何有？
只向我送着無限的失望，悲哀……

我祈禱這些馬路上被巡捕打着的工人，
我祈禱那些被灰塵撲着的苦力，
我熱烈地祈禱他們，我熱烈地祈禱他們，
祈禱他們更換這兒慘白的色澤！……
哦，起來，起來，起來，起來，起來，
把這慘白的故國破壞！破壞！

六月，一九二五。

90

要是我被人……

要是我被人捕去時，朋友，
望你把你那仰慕革命底熱血，
蘸上你能夠運用的筆頭，
給我，寫一篇我生活的記錄。

那時我或者被人用皮鞭抽打，
偃臥在黑魆魆的獄中；
或者被人牽到了刑場，
隨着槍聲倒下，再也不動。

那便是我工作結束的時節，
我應盡的義務便算盡完，
我將要含笑地休息而去，
最後的心中會感着莫大慰安。

我決定了的命運便是這樣，

92

這命運使我像乞丐般的孤獨，赤窮，
因爲，我放棄了我自身底安全。
我眼前只有未來勝利的光輝：通紅。

我底血液得用去點綴那通紅的光輝：
就是這信念，逼得我只是前奔。
等到我底前奔的行程停止，
那便是我最後慰安的時辰來臨……

要是我被人捕去時，朋友，
你千萬把你仰慕革命的熱血，

蘸上你那鮮活的筆頭，
給我，給我寫一篇生活的紀錄。

94

壯偉的離別

現在四圍已經稀少了人聲，
只有電燈還奪取着馬路上的黑影。
我與你，在電車道旁站定，
默默地好像在互相發怔：
但是我卻並沒有一點兒傷感，

只被這壯偉的離別逼得全身震顫兢兢！
你底眼光來和我底眼光相觸，
好像是有許多言辭不能說出。
可是你要說的言辭，我是完全完全會意。
你是要說：征服罷，我們底痛苦！
我們底痛苦，應該被這偉大的使命征服！

是的，我們這狠短的一生，
只有用去作有意識的革命鬥爭，
我們是應該彼此在互相激勵，
要把自己底意志堅持把定，

96

不爲這個人間無聊的情感犧牲！

分別罷，現在是時候已到，時候已到！
在這南京路口分別我們都感着了意義底嚴肅，重要：
這正是三年前帝國主義殺人的屠場，
這兒——我們就在這兒分別，記牢！記牢！
都不要忘記了，忘記了分別後彼此努力的目標！

黑奴的巡捕不停地在向我們注看，
資本家底汽車不斷地過着我們面前……
目下暫且讓他們去罷，去罷，

——這世界終不歸他們領管，
他們屈服在我們底膝下總在不遠的一天。

現在是時候已到，前進！前進！
這壯偉的離別使我底全身震顫兢兢！
現在夜是已經深沉，
我們底話也都說盡。
最後，都只準備再見的時候，
準備再見的時候看彼此所負的使命，有幾分之幾的完成！

98

上海底憂鬱

其一

你們信也不信，
這兒有驚人的奇蹟生出？
這一邊不斷的汽車底喇叭在嗚嗚震鳴，
滿了電火的洋樓高大得你仰視時頭會發昏……

這一邊卻是一排很矮的瓦房，——看準，只有一層！——
裏面點着些黑暗的無光的油燈；
門前底地上聚着有一堆人影！
——唉，人！那裏是人！不過是這樣的一羣！——
像是在蠕動着做些甚麼，又像是在隱隱地發出些呻吟……
啊，奇蹟喲，奇蹟喲，——你們信也不信？
這一邊是巴黎，倫敦，
這一邊是埃及，耶路撒冷！
這上海，這上海就是靠這奇蹟，在維持着牠底生存！

其二

兄弟們，拖呀，拖呀！

100

一條長繩套着你們底赤肩，
你們拖着幾條笨大的木頭蹣跚着向前

兄弟們，拖呀，拖呀！
汗水是流遍了你們底全身，
你們底氣也喘得是上下不相接連。

兄弟們，拖呀，拖呀！
這些木頭是爲那個資本家去建築公司，
還是爲那個偉人去修蓋公館？

兄弟們，拖呀，拖呀！
你們瞧那由你們身邊駛過的汽車，
內中坐的闊人連你們看也不看！

兄弟們，拖呀，拖呀！
這世界可眞反了：
修房屋的人儘管這樣拖着木頭，
住房屋的人卻每天在汽車中安閑。

兄弟們，拖呀，拖呀！
這奴隸的長繩終勒不死我們底憤火，

鋼鐵般的體骨却只有愈磨愈堅。

兄弟們，拖呀，拖呀！
這今日底血汗爲換的是勝利的明日，
明日，便是那般坐汽車的人跪拜我們的一天。

兄弟們，拖呀，拖呀！
這馬路這洋房，都莫不是出自我們底手裏，
我們底志願便是要把我們手造的一切，一齊收還！

其三

我們好像是在被人軟禁，

失了我們自由的行遥，
我獨行在這暗夜街頭，
我底心中是悲憤，不甯。

前日聽說他們下了逮捕命令；
昨日聽說他們派暗探跟隨不停；
今日又聽說他們要大大地搜查，
要把這兒住家挨戶地搜查一陣。

我踏着這暗夜底黑影，
我底情緒怎應是這般紛紜！

104

這法西斯蒂底惡毒勢力，
難道眞要把我們吞滅淨盡！

不久以前曾有同志幾人，
被他們捉去打死在獄中；
最近又捉去有男女數十，
一個一個都不知所終。

這樣，就是我們底命運。
我們這決定了的命運是再也不能變更！
我們都像等待着那恐怖的時候來到，

那時候，不知道是今晚，還是明晨！

暗夜底景色越見是沉悶，
我底步履也疲勞得失了從容。
這四圍底空氣在把我緊緊地重壓，
我底呼吸都像是在窒息不通。

噫，那兒又在佈滿了武裝巡警，
正在把持着路口監視行人。
不過，還是衝上去罷，橫豎已經被人軟禁，
我再也不能忍受，這失了自由的生存，失了自由的生存！

106

滾開罷，白俄！

滾開罷，白俄乞丐的白俄！
我不知道怎樣稱呼你們：
從前的——皇子，皇孫，
或是王公，大人，
或是公爵，伯爵，親王，將軍……

滾開罷，你們這些過去的幽靈
唵，滾開罷！
我們底同情心本是非常充分，
可是獨對於你們却是沒有一點同情！
因爲你們底同情從來便沒有給我們用過一分一寸，
你們從來只知道用我們作你們快樂的犧牲……
我們對你們是只有憤恨，只有憤恨，
滾開罷，再不要做出這可憐的模樣來誘惑我們！

滾開罷，再不要在馬路上這樣徬徨！
你們落伍了的雙脚會把這新時代的馬路弄髒！

109

這馬路，——這馬路，是費了許多我們兄弟們底勞苦生命，
這馬路，是用我們兄弟們底血汗造成，
這馬路，是要留着爲我們羣衆大會底羣衆踏着前進，
這馬路，是要留着爲我們來做革命的示威遊行，
這馬路，是要留着來散布我們底傳單，宣言宣傳品，
這馬路，是要留着來傳播我們狂熱的口號底聲音，
這馬路，：——總之這馬路是我們的，我們的，我們的！——決不容你們在牠上邊這樣徬
　　徨，這樣徬徨，這樣徬徨！
滾開罷，滾開罷，你們這些白俄，白俄流氓！

滾開罷，白俄！

滾開罷，再不要這樣向我們伸出你們底兩手，

不要這樣涎着臉儘站着不走！

唵，你們底手，——你們底手刻畫着有舊社會倒霉的命運，

你們底手染着有舊世界汚穢的灰塵，

你們底手曾經在墮落的奢侈的賭博場中作過沒有工作的鬼混，

你們底手曾高舉過淫蕩的酒杯，祝過你們底皇帝主人，

你們底手曾指揮過勞苦的兵士，強迫他們爲你們去拚命，

你們底手曾握過野蠻的皮鞭，不停地去打工人去打農民……

唵，你們底手，你們底手，你們底手，你們底手，——不要再伸出了罷，你們這些可恥的手，罪惡的手，有

　凶犯烙印的手！

還是滾開罷，滾開罷，你們這些狗一般的白俄，——哦，狗！你們這些白俄老狗！

滾開罷！
這兒有的是：
這兒有的是正準備着××的同盟，
這兒有的是正準備着把反動的勢力肅清，
這兒有的是：革命，革命，革命，
這兒有的是爲未來普遍的血紅顏色奔忙不停……
總之，你們沒有在這兒生存的可能，這兒也不許你們生存！
還是滾開儘管作過去的迷夢去罷，你們這些腦筋生了黴菌的廢人！

總之——總之滾開罷，乞丐的白俄！
從前的皇子，皇孫，
或是王公，大人，

或是公爵，伯爵，親王，將軍……
——我索性就這樣來稱呼你們！
我來再說一遍：滾開罷，你們這些已死的時代中的幽靈！

新戀歌

若是你心中眞有塊煤炭，
那便得要我來把牠掘了再搬。
可是我這個力氣呀，
是學自那工廠底機器旁邊：
那兒，正在動着我們底世界，

那兒正在轉着我們底明天⋯⋯
我們要是眞有飛躍的相思，
那應該是革命，而不是——浪漫！

若是你心中眞有塊煤炭，
那便得我心中的火把牠點燃。
可是我心中的火呀，
是取自那工廠底火爐旁邊：
那兒；纔能爆出我們底世界，
那兒，纔能燒出我們底明天⋯⋯
我們要是眞有飛躍的相思，

那應該是革命，而不是——浪漫！

送行

奪人的清晨罩滿了街衢，
你要趁這時光爲我們底工作去馳驅。
這停泊的很小的輪船，
竟要載着你偉大的使命而去。
陽光是這樣閃着希望，

雖然目前的上海總有些憂鬱……
啊，我底舊友都分裂完了，
現在只剩到你一個朋友！
不過我們要努力爭取革命底前途，
少數是沒有甚麼要緊，
只要我們底主張是代表多數！

滿江上汽笛儘管在嘶嘶，
我們底聲音就在這大的哄笑中消失。
你看這些苦力底叫號：
好像給我們說明未來的大事。

我們站在這黃浦灘頭,
應該得到新時代顯明的啓示……
啊,我底舊友都分裂完了,
現在只剩到你一個朋友!
不過我們要決心爭取革命底前途,
少數是一點也不要緊,
只要我們底主張是代表多數!

小說

三年以後

哦，三年，這樣迅速的三年！我一個人站在橋上傷感地想着。

我像尋認故舊似的巡視着這兒四圍底景色。右方是一處很大的牧場，遠遠看去，只是一片嫩綠，在這片嫩綠上又時隱時現地有許多白點，那大概是牛羊在走動着了；左方是一帶山原，山原下滿是插入空際的Populus；通過我站着的這條石橋，一方接着寬廣的田地，一方是到街市去的大路，路底兩旁分列着兩行垂着長條的柳樹；一個很老的

Gothique 教堂把牠底尖頂高聳到雲端，有時蕩出遲鈍的鐘聲與橋下緩弱的水音相和。

橋頭上有一所莊園，門前陳舊的色澤使人一見便知這是經了不少年歲的建築了。很堅固的 Calcaires 底牆上布滿着爬壁藤底綠葉，幾乎一直封住了Balcon上的出口。旁邊接連着有一段矮牆，那是爲圍護園中的花木的，站在外面的人可以看見園中有 Chênes 和 Marronniers 底廣蔭，但是現在正是溫暖的五月，一陣微風吹過，卻撲出些薔薇底輕香來。

這莊園內的主人底姓是 Hugo，一位已經五十多歲的老人和一位名叫 Marguerite 的年青姑娘，是我三年前的居停。我曾在這莊園內住了兩年，經過可以說是很長的安靜的生活，——自然像我一個飄泊得差不多連自己底籍貫都要忘記了的人，無論走到那一處都要感着不定的痛苦，那裏還能有眞正的安靜的生活！不過我這居停對我的情誼確令我永遠不能忘記：他們不曾把我看作外國人，他們不曾用待平常住客的情形來待過我。我在這莊園中的兩年深得了他們底安慰和愛助。他們是給我生活中添了一段絕好的紀念，他們底這所莊園也就永遠留下了我深切的回憶了。

我還記得我在這兒住的時候，我底那間房子除了晚間去睡覺以外，平時只是等於虛設，我是終日總在他們底廳房中讀書的。那個廳房三面都是相連着的玻璃長窗，園中的景色由窗內可以完全看見。每天我總坐在那圓桌的右方讀書；我底年青的女居停主人也常坐在我底對面或是讀書或是縫紉，有時又去坐在靠牆的 piano 琴檯上伸出她白皙的兩手在奏着種種的妙曲，那時我便掩了卷細聽由她手下流出的那種動人的音調，我知道她最愛奏的是 Auber 底 "Le rêve d'amour" 和 Gounod 底 "La nonne sanglante"，我遂合起了我底兩眼讓我底心神和那音調融化。

我還記得每天晚餐以後，我們都坐在廳中的那盞籠着淺綠色罩子的電燈底下，我底年青的女居停主人便開始和我談着她喜歡讀的書籍和她還能記起的小說詩歌，有時還談到她幼年的生活並她底亡母死時的悲痛……她底性情向來是帶着幾分憂鬱，在那些温存的談話中常不自覺的露着搖人感情的愁歎她底父親每天總是很晚纔回家的，據她說他是自從她底亡母死後，纔這樣每晚到咖啡館中去消磨他底寂寞；她說他晚年的這種寂寞，除了這樣去消磨怕也再沒有別種方法的了。我就這樣陪着她，一直等到她父親回來的時候，纔各自安寢。但是有時她卻守着沈默，像是帶着疲倦的病態，我便也不出一點聲音，就在那耐人尋味的寂靜中和她對坐。

我還記得有一晚——哦，最難忘記的那一晚了！我和她坐在那淺綠色的燈下，我們都是沒有講話的。秋天底晚上，分外覺得寂靜。窗外時時有些秋風吹過，我們底身上也像添了幾分涼意。她那時也沒有讀書，也沒有縫級，也不去奏琴，只是很無聊的靠在一張Canapé上，像在想念甚麼事似的沈默着。我呢，也是無言地對着她，只在盡情地領略着

122

她底姿態與美色：她那褐色的頭髮，她那黑中帶着微藍的眼睛，她那一點也沒有塗抹脂色的天然嬌潤的口唇，她那泛着年青的風情同時又露着表示她纖弱的蒼白的臉龐，並且她那種正在想念甚麼事似的憂鬱的神色和那種由沈默中流出的處女煩躁……哦，那時的我，眞不自禁地被那個Exoticmood的少女迷住了！最後還是她耐不住寂靜底壓迫，纔輕輕地啓了她底口唇，帶着微嘆的聲音說道：

爸爸還不見回來，今晚底天氣可眞使人無聊呢。

——可是呢我也輕輕地答着她你聽園中Marronniers墮地的聲音，好像是寂寞者嘆息一樣，像這樣的秋天底晚上，最好在一種Melancholie底情景中來領略，我想病人或者可以領略這種秋夜底情調，可惜我們都不是病人呢。

——不然，不然。我從前有病的時候，醫生說一到秋天就要發作的。等到了秋天，像這樣的晚上，我纔更覺得孤苦，恐怖，一點甚麼情調都不能領略的……

——唉，你從前有過甚麼病？我底聲氣好像有點搖動了。

——肺病。但是現在那種症候已經退去了。

甚麼？退去了，我心中突然感覺着一種失望哦，我底年靑的女居停主人喲，請你恕我罷！我想假使你底肺病還沒有離去你這纖弱的身體時，我願意朝夕來扶侍你，要是你臥病在牀上的時候，我也願意去在你底牀邊盡看護的義務。我想，像你這樣早年失了母親並且時常感着身世孤苦的少女，能得我用心去扶侍看護你，你是必定會誠意來愛我的，等到最後你可憐的生命告終的時候，也正是我得了你肺病的分贈，隨着你的消滅，我這無謂的殘生的日子，哦，像那樣的情死，像那樣你身中有我，我身中有你的情死，我想是再美也沒有的，再好也沒有的了！

我儘管這樣癡想，便不自覺地對着她呆看起來。她好像覺得了我底心思，帶一種羞怯的神色，轉身由她身旁的桌上取了一本 Musset 底詩集，打算低下頭去誦讀，但是她

124

那種無聊的煩躁使她再也不能像平常時的安靜了。她隨便翻了一陣，翻到了"Lucie"那首哀歌，便又抬起頭來向我問道：

你愛讀這首詩麽？

——唉，愛讀呢。這眞是一首動人的好詩。難得他敍述得這樣淒楚，這樣委婉。我想只有遇到這樣的人，這樣的境地，纔可以永遠不忘……唉，人生最有趣味的怕只有一個念罷！人生底聚合是沒有一定的，離散也是沒有一定的。今晚我們是對坐在這個廳中，明日呢，又有誰能知道是怎樣的呢！但是所遺留的還有一個紀念，這便是我們將來的安慰……

我說到這裏，一注意到我年青的女居停主人時，我纔看見她噙着兩眼的眼淚，低着頭在默默地沉思。我不覺喫了一驚，但立地便又明白是我底幾句話引動了她底傷感的。我即刻失悔我底孟浪，不應該在這樣聰明而易感的少女面前說出這樣惹人不快的話來，並且我說話時也沒有細想，這樣的話中，似乎還帶着許多不幸的意義呢！唵，我眞荒唐！我這種脾氣總不能改掉！我眞想向我年青的女居停主人謝罪了。我想還是換過別種話來說罷。但是不行！我纔偏偏想不出別種有興會的話！我只好閉了口，靜靜地在等着她傷感的過去。

但是重大的事情發生了。我年青的女居停主人忽然抬起頭來急切地看着我：

——度浸先生，你將來要離開我們嗎？

——甚麼？……怎麼能不離開呢？像我這樣飄泊的人，怎麼能常同你們守在一處呢？

——啊，那麼，那麼我們都要感到辛苦呢。爸爸很希望你常在我們這兒住呢……爸爸說過的只要你願意常住在這兒，我們就同自家人一樣……我也從來沒有過像你這樣的朋友，每天都在一處談心的呢……

——……

哦哦，這樣一來，我眞不知道怎樣去囘答我底年青的女居停主人了！我分明看見她兩頰上泛着一層洩露她底隱情的紅暈，我又分明聽到她聲中帶着一種不能自持的顫慄，或者是我坐得距她太近了，好像還聽到她心臟底激動……——哦哦，我底年青的女居停主人喲，請你恕我罷！我是一個流浪慣了的人，我是一個孤獨慣了的人，我是一個沒有勇氣的男子，我是一個專務空想而不能負責任的 Egoiste： 請你恕我罷！我心中確是愛你的，但是我不願因爲愛你而害了你。像你這樣純潔的女子，應該得一個對你完全有誠意的人，哦哦，像我，像我這樣對甚麼事都沒有熱心的浪子，那時決沒有愛你和被你愛的資格的！……

我心中雖然儘管反省，但是我底年青的女居停主人底那種迷人的神色又不住地在誘着我，唵，不對，不對！我還是不要再坐在她底身邊了。我一面這樣想，一面便搭訕着站了起來。

——哦，晚安！我連她底答禮還沒有聽見，便出了廳房，逕自回到我底房中去了。

……………

這些情形都還像是昨日一樣，然而我離了他們卻已經是三年了。我還記得當我要離開他們的那一天，我年青的女居停主人是躲在了她底房中不願見我底告別，她底父親是揮着兩條老淚把我送出了莊園底大門，我那時是一腔的傷感，但是終竟提着我破舊的旅行皮包一個人決然地走了。哦哦，自從那時和他們一別，匆匆地就過了三年！這三年中，我不知道流浪了多少地方，不知道嘗受了多少憂患！並且是經過了墮落，經過了非常放蕩的生活的了！哦哦，這三年中我身世變化怎麼是這樣的大，這樣的令人可驚呢？

現在我是由意大利底 Pompei 流浪了以後再折返到法國的。因爲在旅途中經過這三年前我曾留滯了兩年的地方，一種異樣的 Nostalgia 來侵襲着我，我竟在半途中下了我長路的火車，打算來到這兒作一個小小的勾留，好訪我永遠不能忘記的莊園和

那兩個賢惠的居停父女，

當我一走到這莊園底門前的橋上，便在不自覺中站住了的。我是完全浸在了傷感的夢境裏，我看這兒底一切都依然如舊只是我這個人改變了。我相當我住在這兒的時候，雖然不能說是還沒有染甚麼不可醫治的 Lypémanie，但是我總覺得那時我底心情還能保持着安穩恬靜的狀態；可是現在呢，我卻成了一個頹廢的沒有希望的人了！這兒底一切都是依然如舊的，依然如舊的，這山這水這教堂……一切都不會改變，只是我這個人改變了，改變了！

我是完全浸在了傷感的夢境裏，大概是我已經沒有了熱情的緣故，心中也並不覺得怎樣的跳動，只是鬱着滿腔的落寞，最後纔用手去慢慢地推那莊園底大門

* * * * *

——很久我們這兒都沒有過這樣Soirée了。

——正是呢，度浸先生，自從你走後我們常常聽到 Hugo 先生在說他底家中像是冷靜了很多，並且還說是怕再不能見你了呢。

——Marguerite 姑娘纔更不慣呢。她說你在這兒的時候，每天晚上 Hugo 先生還沒有回家，總是你在陪着她；你走了以後，卻只賸了她一個人了。她說當你纔走了的那幾個月以內，她眞寂寞，她常常地哭呢……

——慢說他們，就是我們這些隣居，因爲每天差不多總要見面的緣故，你走了，大家都是感覺到不快的。

——我們都是常常在說你，常常在說你的。

一個很明的電燈掛在客廳底中央，廳中除了我和我三年前的老居停 Hugo 先生以外，還有許多男女來賓。他們都是這兒左右的隣居，雖是我三年前的舊相識，都是因爲聽到了我旅行到此今晚纔約聚在 Hugo 家中來與我晤會的。我底老居停帶着快樂的感情說了一句話之後，他們便跟着敍述起了我走了以後這兒底種種境況。

我在這樣的空氣中，感受到一種暫時忘卻我奔波勞苦的 Extase。不知道是哀愁，還是愉快，我底心胸完全被不調和的情緒所侵占了。我看見我底老居停在桌上擺起了飲紅酒的和注 Alcool 的大杯小杯，——啊，就在這個桌上，三年前是每天我來讀書的！這廳中的陳設都還沒有甚麼變換，那張 Canapé，那座 Piano，都還在舊日的位置上，一點也沒移動；只是這電燈上再不籠着有那淺綠色的罩子，這客廳也像沒有從前那樣的幽靜，那樣的 Intime 了。我再注意到我老居停時，我發見他確是比三年前老了許多而且還帶着有些衰病，他雖然時時向我露着歡迎遠客的笑容，可是終於掩不了他頹唐的神色。這許多隣居也大半都和往日有些不同：他們有的也添了老態，有的卻多抱了一個孩子……啊，我眞不知道是哀愁，還是愉快，我底心胸完全被不調和的情緒所侵占了！

——Marguerite 來了。我底老居停突然這樣說了一聲，果然門外有急促的脚步

在響了

跟着客廳底門由外邊推了開來，我底女居停主人同一位少年，出現在我底當面。

——度浸先生，我底女居停主人指着那位少年說：這是 Robert，我特意出去引他來見你，因爲他很願意和你談話呢。

——你或者記不起我了，那位少年一面說，一面指着座旁的一位老夫人：我就是 Buisson 夫人底兒子，從前我們是見過的。

哦，Buisson 夫人底兒子！經他這一表明，我纔恍然地想起來了。我三年前住在這兒的時候，他是正在遠處當兵的。是他告假歸來的那一次，我曾見過他。我還記得他說他當兵的地方是最陰鬱的 Bretagne，他說他在那兒的生活是非常孤苦，他說他等到當兵的服務完結後，便要立刻回來陪伴他底母親的。他底母親也是最和藹的一位老夫人，大概是早年寡居，只守着他一個獨子，因爲常來 Hugo 家中的緣故，所以在所有的隣居中他們母子是我最熟識的，我還記得他假期將滿，再離家遠去時，還託我常到他家中去坐談，代他安慰他母親底孤寂……，哦，現在他是這樣的壯健，這樣的美秀！他底衣服穿的這樣的整潔！現在他一定是早由那滿空濕霧的Bretagne歸來，陪伴他底母親，再不去當兵的了。我很熱烈地和他握手，謝了他底盛意。他便坐在我底側旁，我底女居停主人卻坐在他底肩下。

我有些明白了。我看見我底女居停主人穿着一件淡藍色的 Rob:，樣子是非常的合身，非常的大方，配着白色的絲襪和瘦長的黑鞋；臉龐好像是比較三年前豐滿了許多，不知道是這廳中電燈再沒有那淺綠色的罩子的緣故，還是眞個她底顏色已經改變，她確是沒有從前那樣的蒼白了。她底姿態固然還和往日一樣，但是現在她對於我卻總像是沒有往日那樣親近，那樣誠懇；雖然她底姿態還和往日一樣，但是對於我，她已經不再是那凄楚而易感的少女，不再是那使我想和她一同害肺病而死的少女了。我突然又看見她項間掛着一個金練練上有一很小的金盒，我立地好像看見了這盒中的祕密，我立地好像看見了這盒中鑄的是正在她身旁坐着的這位少年的小像，一種莫名其妙的隱痛卽刻走上了我底心頭，我不自禁地把我底頭低下了。

——唉，度浸先生，怎麽你不談話呢？我底女居停主人帶着安慰的口氣在問我。

——哦哦，我……我是在想這光陰眞快！

——唉，可不是？誰也沒有覺得你離開我們已經三年了呢。你還記得麽有一次我們爭着背誦拉丁詩，有一句我總記不準確，你時常笑我，後來我終於記住了這句詩正好現在來用。

——那一句詩呢？

——"Eheu! fugaces Labuntur anni,"

——哦哦，你底記性眞好！

134

這時客廳中已塡滿了煙香與酒味。我底老居停 Hugo 先生像是分外高興，打着他那像破了一樣的嗓音和座客討論種種的問題，有時又用手拍着桌子大笑起來、所有的座客也都附和着他底聲音，桌上底杯子已經乾了好幾次，各人都像是有了幾分醉意了。

——Marguerite奏！奏Piano呀！Hugo 先生突然這樣叫了一聲。

——不錯，不錯，Marguerite 姑娘奏一兩個譜子給度浸先生聽呀！Buisson夫人這樣和了一句，立地便引起了滿座表示同意的鼓掌聲。

我底女居停主人先看了看她身旁的Robert先生，然後掉過頭來望我，意思像是得了 Robert 底同意，還要等我底催促。

——哦，我請你，我是有這樣久沒有聽你奏Piano了！我隨着我女居停主人底眼光急忙地說。

——那麼，Robert， 來給我按樂譜罷。我底女居停主人緩緩地站起來了。

她走在了Piano底檯邊重復坐下，Robert 先生站在旁邊預備替她翻換樂譜，她把手放在琴瓣上，卻特意先把頭回過來向我問道：

度浸先生，你喜歡聽甚麼譜子呢？

——甚麼譜子？……"Le rêve d'amour" 好麼？這是你從前最喜歡奏的一個……哦，還有一個"La nonne sanglante"，但是你現在怕不願意再奏了罷？

我底女居停主人明白我底意思，她像是羞慚，又像是得意，她並不答我，只帶着一種會意的神色微微地向 Robert 一笑，接着便垂下頸去奏起她底 Piano 了。

我底女居停主人眞好！她把我說出的兩個譜子都奏了，接着還再奏了兩三個另外的譜子，纔重復回到座上。

——哦，多謝你了！我向着她說：我眞沒有料到我離開這兒三年以後還再能聽到你底音樂呢。

——我也沒有料到今晚能奏給你聽她，說因爲我們都想不到你還能再到我們這兒來……

——喂，度浸先生，我底老居停帶着醉意打斷了女兒底話：你明天可以不要走，再和我們多聚一天罷

多聚一天！我看着我底這位誠懇的老居停，我幾乎要流出了眼淚。我感覺到今晚底這個夜會對於我要算是很有意義的，在座的諸人對於我都是抱着最難得的眞情與誠意，我這次走後，一定是再沒有相見的機會的了。但是我明天又怎能不走，又怎能再和他們多聚一天呢？我忙向我底老居停答道：

謝你底厚意，我因爲還有別種事故，明天再不能勾留了。今晚底盛會使我永遠不能忘記。我來時眞沒有想到能帶這樣多的愉快而去，眞的，今晚我得到的愉快，是我從來沒有得過的。

——這算甚麼！

——我們也是一樣。

Hugo 先生和她底女兒同時都說了這麼兩句。

我又繼續地說：

明天一早我就要走的，今晚我就在此地給座上的諸位致謝，並給諸位告別，或者我不久要回到東方去，我覺得我確是流浪得太沒有歸宿了！我還得要回到我底故國去。我們以後何時見面及以後能不能再見誰也不能說定。今晚底這個紀念，我們大家都得好好地保持着。

沈默佈滿在座上了。我回頭看見我底女居停主人低着頭一句話也不說，這個憂鬱的神色使我覺得她又恢復三年以前的美貌了。突然一種強烈的情緒搖震了我一下，我便又繼續地說：

夫人們，先生們，我還有一點超過我今晚應說的話底限度以外的意見，你們都是知道的，我三年前在這兒住的時候，Hugo 先生和 Marguerite 姑娘待我都是等於自家人一樣，要是我說一句過分的話：Hugo 先生眞把我看成了他底子姪，Marguerite 姑娘眞把我看成了她底兄弟。這種情誼常留在我底心上，我在這別後的三年中常在希望 Hugo 先生底健康和 Marguerite 姑娘底幸福。夫人們，先生們，世界上有對於他妹妹底前途不留意的哥哥麼？我底這個妹妹，她有過人的聰明，她有最溫柔的天性，我望她能得一個不至辱了她的佳耦。我不是替她選擇，也不是替她決定，只是行使作哥哥的應有的權利，在做贊助和作成的事務。在今晚底會席上，我確是給我底妹妹把幸福尋得了。夫人們，先生們，你們知道是那一個呢？

我說到這裏使用手指着 Robert 先生，一面卻向着 Hugo 先生和 Buisson 夫人說：

想來你們二位老人也是喜歡的罷？

兩個老人都笑了。我又說：

我很希望他們兩個早點定婚，都不要被青年常有的不定的心理誤了自己。——哦，來罷，我底妹妹，要是你覺得我底話能使你快樂，那麼你來，Robert 先生也來，我們三個人摧一個杯罷！

果然，我底女居停主人眞好！她和 Robert 都站了起來，在滿座的鼓掌聲中我們摧了杯，都把酒飲乾了。

這時我卻再專向我底女居停主人低聲說了一句她不曾想到的話，我說：

但是當到你結婚的時候，不管我在甚麼地方，總望你能寫幾個字報告我，不要把我忘記了。

她在微笑中點了頭，表示她底答應。我立地覺得我周圍都像被一種意外的快樂所包圍，我便借這狂歡的空氣，起身給他們告辭。
滿座的玻璃酒杯在最後的祝福中又熱烈地摧在一起了。

*　*　*　*　*

早晨寂寞的車站上被細雨灑得帶了幾分滑濕，我手中提着到處隨我流浪的破舊皮包，預備又要上我飄泊的長途。
昨晚底酒味還沒有完全退去，只覺得稍帶點疲倦，心中已沒有來時的那樣傷感了。
哦，別了，可愛的莊園！